Las Hadas
ARCO IRIS

Para todos aquellos que
creen en las hadas

Un agradecimiento
especial
a Sue Bentley

Título original: *Sky the Blue Fairy*
Adaptación de la portada: Departamento de diseño
de Random House Mondadori

Tercera edición: junio de 2008

Publicado originariamente en el Reino Unido por Working Partners,
Ltd., 2003
© 2003, Daisy Meadows, Working Partners, Ltd.
© 2006, Grupo Editorial Random House Mondadori, S. L.
Travessera de Gràcia, 47-49. 08021 Barcelona
© 2006, Estrella Borrego del Castillo, por la traducción
© 2003, Georgie Ripper, por las ilustraciones

Printed in Spain – Impreso en España

ISBN: 978-84-8441-286-1
Depósito legal: B. 22.619-2008

Compuesto en Fotocomposición 2000, S. A.
Impreso en Liberdúplex, S. L. U.

Encuadernado en Relligats del llibre

GT 1 2 8 6 5

Celeste, el hada azul

Escrito por Daisy Meadows

Ilustraciones de Georgie Ripper

Traducido por Estrella Borrego

montena

El palacio del Reino de las Hadas

Laberinto

Bosque

Huerto

Puchero negro

Pradera

Torre

Playa

Acantilados

Isla Aguamágica

Soplan vientos gélidos que forman un glaciar.
Esta tormenta conjuro contra las hadas.
Hasta los siete confines del mundo mortal
el Arco Iris Mágico se replegará.

Maldigo cada rincón del Reino de las Hadas
con una ola de hielo de mi mano de escarcha.
Ahora y siempre, desde este día fatal,
su reino será frío y gris, por siempre jamás.

Rubí, Ámbar, Azafrán y Hiedra están
fuera de peligro. ¿Conseguirán Raquel
y Cristina liberar también a
Celeste, el hada azul?

Índice

Un mensajero mágico

—¡El agua está muy caliente! —se reía Raquel Walker.

Estaba sentada en una piedra, remojando sus pies en una de las charcas azul transparente de Aguamágica. Cerca de allí, su amiga Cristina Tate buscaba caracolas.

—Ten cuidado, no te vayas a escurrir, Cristina —dijo la señora Tate, que estaba sentada en la playa con la señora Walker.

—¡Tranquila, mami! —respondió Cristina. Se estaba contemplando los pies descalzos en el agua cuando vio moverse un alga. Debajo había algo de color azul brillante. —¡Raquel! ¡Ven a ver esto! —exclamó Cristina.

Raquel se acercó hasta donde estaba Cristina.

—¿Qué ocurre? —preguntó.

Cristina señaló el alga.

—Ahí debajo hay algo azul —dijo—. Me pregunto qué será…

—¿Crees que es Celeste, el hada azul? —preguntó Raquel con impaciencia.

Jack Escarcha ha usado sus poderes para desterrar del Reino de las Hadas a las siete hadas Arco Iris. Ahora están escondidas en algún lugar de la isla Aguamágica. El Reino de las Hadas no tendrá color hasta que estas no regresen. Raquel y Cristina le han prometido al rey y la reina del Reino de las Hadas que los ayudarían a encontrarlas.

El alga se volvió a mover.

A Raquel se le iba a salir el corazón por la boca.

—Quizá el hada se ha enredado en el alga —susurró—. Como le pasó a Hiedra, cuando se quedó atrapada en la enredadera de la torre.

Hiedra era el hada verde. Raquel y Cristina ya habían encontrado a Rubí, Ámbar y Azafrán.

De pronto, un cangrejo salió a toda prisa de debajo de las algas. Era de color azul intenso y muy brillante, con destellos de diminutos arco iris sobre su concha. No se parecía a los otros cangrejos de la playa. Cristina y Raquel se sonrieron. Debía de tratarse de una nueva demostración de magia de la isla Aguamágica.

Rojo, naranja, amarillo, verde, azul, tinta y violeta.

—¡Oh, no! ¡Hada en apuros! —murmuró el cangrejo con una vocecita que sonaba como si alguien frotara dos guijarros.

—¿Has oído eso? —susurró Raquel.

El cangrejo se detuvo y miró a las niñas con sus ojillos saltones. Luego se apoyó sobre las patas traseras.

—¿Qué está haciendo? —exclamó Cristina asombrada.

El cangrejo señaló con su pinza a lo lejos, a una de las rocas de los acantilados. Dio unos pasos rápidos, y volvió a mirar a Raquel y Cristina.

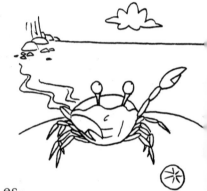

—Allí —dijo con su estridente voz.

—Me parece que quiere que lo sigamos —dijo Raquel.

—¡Sí, sí! —dijo el cangrejo haciendo chasquear las pinzas, y salió precipitadamente, avanzando de lado sobre una enorme roca plana.

Cristina se dirigió a Raquel:

—¡Quizá sepa dónde está Celeste!

—Eso espero —respondió Raquel con los ojos iluminados.

El cangrejo avanzó por la arena. Raquel y Cristina lo siguieron. Hacía un día de mucho calor. Las gaviotas aleteaban con fuerza por encima de sus cabezas.

—¡Raquel, Cristina, casi es hora de comer! —gritó la señora Walker—. Volvamos a la Cabaña del Delfín.

Cristina miró desilusionada a Raquel.

—Tenemos que quedarnos aquí y buscar al hada azul. ¿Qué podemos hacer?

El cangrejo daba brincos sin parar, levantando pequeñas nubes de arena.

—¡Seguidme, seguidme! —exclamó.

Raquel pensó en algo rápidamente.

—¿Mamá? —preguntó—. ¿Podemos hacer un picnic aquí, por favor?

La señora Walker sonrió.

—¿Por qué no? Hace un día precioso. Además, debemos aprovechar los tres días que nos quedan de vacaciones. Voy un momento a la cabaña con la madre de Cristina y traemos unos bocadillos.

«Solo nos quedan tres días —pensó Cristina—, y aún debemos encontrar a tres hadas: ¡Celeste, Tinta y Violeta!»

Tras despedirse de sus madres, Cristina le dijo a Raquel:

—Tenemos que darnos prisa. Estarán de vuelta enseguida.

El cangrejo se puso de nuevo en marcha, esta vez sobre una roca resbaladiza. Raquel y Cristina treparon con cuidado detrás de él. Raquel lo vio detenerse en una pequeña charca de agua donde había numerosas conchas de color rosa.

—¿Está el hada en una de estas charcas entre las rocas? —preguntó—. ¿En esta?

El cangrejo
miró dentro
de la charca.
Se rascó la cabeza
con una pinza con
aire perplejo. A continuación
se apartó de allí.

—Creo que no —dijo Cristina.

—¿Y en esta? —preguntó Raquel
acercándose a otra charca. En ella nadaba
un pequeño pez platea-
do. El cangrejo negó
con la pinza y si-
guió avanzando.

—Tampoco está
en esta —dijo
Cristina.

En ese preci-
so momento,
Raquel vio
una charca

más grande. Estaba justo al pie del acantila-
do.

—Vamos a probar allí —dijo señalando
en esa dirección.

Cristina corrió detrás de ella.

El cielo se reflejaba en la superficie del
agua, azul y brillante, como en un espejo.
Raquel se acercó a su amiga. Se asomó a la
charca y miró al fondo.

El cangrejo corrió detrás de ellas, sus ojos saltones no paraban de moverse en todas direcciones. Cuando metió la pinza en la charca, el agua comenzó a hacer burbujas como si fuera gaseosa.

—¡Hada! —exclamó el pequeño cangrejo sacando la pinza del agua. Burbujas resplandecientes como perlas azules caían sobre la charca que destellaba de forma mágica.

Burbuja
en apuros

—¡Gracias, cangrejo! —dijo Raquel agachándose para acariciar el caparazón del cangrejo.

El cangrejo se despidió de las chicas y se sumergió en el agua. Se enterró en la arena y desapareció detrás de unas algas.

Cristina observó el interior de la charca.

—¿Ves al hada azul por alguna parte? —preguntó.

Raquel negó con la cabeza.

Cristina se mostró decepcionada.

—Yo tampoco.

—¿Crees que la habrán encontrado Jack Escarcha y sus duendes? —dijo Raquel.

—Espero que no. —Cristina se estremeció—. Son capaces de cualquier cosa con tal de evitar que regrese al Reino de las Hadas.

En ese preciso momento, Raquel y Cristina oyeron una voz dulce que cantaba: «Con campanillas de plata y conchitas de nácar, y bonitas sirenas en fila...».

—¿Oyes eso? —preguntó Raquel en voz baja—. ¿Crees que será el cangrejo?

—No —respondió Cristina—, su voz era más estridente.

—Tienes razón —admitió Raquel—. Suena como un cascabel, ¡como la voz de un hada!

—Me parece que el canto procede de esas algas —dijo Cristina señalando el interior de la charca situada entre las rocas.

Raquel miró detenidamente el fondo y descubrió algo poco común entre las ondas del agua.

—¡Mira! —exclamó.

Una burbuja gigante borboteaba entre las algas y flotaba hasta la superficie de la charca.

Raquel y Cristina la observaban con los ojos desorbitados. En el interior de la burbuja una niña diminuta las saludaba sin dejar de batir las alas policromas.

—¡Cielos! —exclamó Cristina—. Creo que hemos encontrado a Celeste, el hada azul.

El hada apoyó las manos sobre la pared de la burbuja. Llevaba un resplandeciente vestidito azul y botas altas del color de las campanillas. Sus pendientes y su diadema estaban hechos de estrellitas, y sostenía en la mano una varita plateada.

—¡Ayudadme, por favor! —La vocecita de Celeste sonaba burbujeante, como si hablara debajo del agua.

De pronto, un soplo de aire frío revolvió el pelo de Raquel y una sombra oscureció la

charca. El agua azul y luminosa se hizo gris, como si una nube hubiese tapado el sol.

Raquel miró al cielo. El sol aún brillaba intensamente.

—¿Qué ocurre? —exclamó.

Cristina sintió un extraño silbido y algo que crujía. Miró a su alrededor asustada.

Sobre las rocas se extendía una capa de escarcha que llegaba hasta sus pies, como si la playa estuviera cubierta con una sábana de hielo.

—Los duendes de Jack Escarcha no deben de andar muy lejos —dijo Cristina preocupada.

Dentro de la burbuja, Celeste tiritaba de frío. La charca había comenzado a helarse.

—¡Oh, no! Está atrapada —susurró Cristina.

La burbuja de Celeste dejó de elevarse. Se quedó suspendida, congelada en el hielo. El hada parecía muy asustada.

—¡Pobre Celeste! ¡Tenemos que sacarla de ahí! —gritó Raquel—. Pero ¿cómo vamos a deshacer todo ese hielo?

—¡Ya sé! —dijo Cristina—. ¿Por qué no abrimos la bolsa mágica?

La reina de las hadas les había dado a cada una de ellas una bolsa que contenía regalos muy especiales, todos ellos objetos que les ayudarían a rescatar a las hadas.

—¡Claro! —dijo entusiasmada Raquel. Pero enseguida le cambió la cara—. ¡Oh, no! Las bolsas están en mi mochila, al otro lado de las charcas.

Duendes sobre hielo

—Iré yo por las bolsas mágicas —dijo Raquel poniéndose en marcha a toda prisa.

—¡De acuerdo! —dijo Cristina mientras se soplaba las manos para calentarlas. La escarcha había empezado a enfriar el aire—. Yo te espero aquí, pero date prisa.

—¡No tardaré! —prometió Raquel.

Raquel trepó por las rocas hasta llegar a la arena de la playa.

La mochila estaba donde la había dejado. Miró en su interior y sacó una bolsa mágica que desprendía una tenue luz dorada. Al abrirla, círculos de brillantina se esparcieron por el aire. Raquel metió la mano dentro de la bolsa. Había algo allí, algo parecido a un guijarro, redondo y liso. Lo sacó y lo miró de cerca. Era una piedra pequeña de color azul, con forma de gota de lluvia.

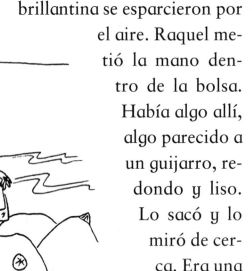

Raquel se quedó pensativa. Era una piedra muy bonita pero ¿para qué podía servirle?

Entonces, la piedra que sostenía en la mano comenzó a iluminarse y a calentarse más y más, hasta quemar casi. A medida que se calentaba, desprendía una luz de un rojo intenso. Raquel, entusiasmada, cerró la mano y guardó la piedra con forma de gota de lluvia. ¡La usarían para derretir el hielo y liberar a Celeste!

Rauda como el viento, corrió hasta donde estaba Cristina. Pero al llegar a las rocas se detuvo en seco. Su amiga estaba junto a la charca helada de Celeste, pero no estaba sola. A su lado, dos feos duendes narigudos patinaban sobre el hielo.

—¡Fuera! ¡Lejos de aquí! —les gritaba Cristina, ahuyentándolos con las manos.

Era evidente que Cristina estaba muy enfadada. Raquel tampoco sentía miedo ahora que tenían la magia de las hadas para combatir a los duendes.

—¡Aléjate tú de aquí! —gritó furioso uno de los duendes a Cristina. Sus raquíticos brazos se movían como aspas de molino, y se alejaba de ella deslizándose sobre el hielo con un solo pie.

Cristina intentó agarrar a uno de los duendes, pero él la esquivó.

—¡No me pillarás!

—¡Ea, ea! ¡No sacaréis al hada de ahí! —se burlaba el otro duende, al que los ojos le hacían chiribitas cada vez que hacía una pirueta.

—¡Por supuesto que la sacaremos! —le dijo Cristina—. Y también encontraremos a las demás hadas Arco Iris. ¡El Reino de las Hadas volverá a tener color!

—¡De eso nada, monada! —contestó el duende sacándole la lengua y frunciendo la gran narizota.

—¡La magia de Jack Escarcha es demasiado poderosa! —dijo el otro duende—. ¡Si no, mírame!

—Alzó la pierna por detrás para girar sobre sí mismo. Pero el hielo era demasiado resbaladizo, y acabó por perder el equilibrio y caer justo encima de su compañero.

¡Cataplum!

—¡Torpe! —chilló enfadado el otro duende.

—¡Te has puesto en medio! —gruñó el que se había tropezado, mientras se frotaba el trasero dolorido.

Los duendes intentaron ponerse de pie, pero sus pies resbalaban en todas direcciones y volvían a caer dando volteretas. Raquel aprovechó la ocasión para acercarse corriendo hasta la orilla de la charca y arrojar la piedra mágica sobre el hielo.

De repente, se oyó un chirrido y un ¡CRAC! Una lluvia de chispas doradas estalló en el aire y el hielo comenzó a derretirse formando un gran agujero en el centro de la charca.

—¡Ay! ¡Qué caliente! —chillaban los duendes resbalándose una y otra vez sobre el hielo. Llegaron a trompicones hasta la orilla de la charca y escaparon dando grandes zancadas por las rocas.

—¡Se han ido! —dijo Cristina aliviada.

Raquel miró dentro de la charca.

—Espero que Celeste no esté herida —dijo.

El hielo se había derretido y el agua reflejaba de nuevo el azul del cielo. La burbuja de Celeste flotaba sobre la superficie del agua.

Raquel vio al hada sentada dentro de la burbuja, mirando a su alrededor. Tenía los ojos muy abiertos y el rostro pálido. Parecía muy asustada.

a tiritando y se acurrucó ha-
illo.

to frío y sueño —susurró dé-

e entró miedo.

curre, Celeste? ¿Los duendes
demasiado a ti?

ntió con la cabeza.

ra no consigo entrar en calor.
s que ayudarla —dijo Raquel.

mo? —preguntó Cristina.

miraban con tristeza a Celeste,
con los ojos cerrados hecha un

Cristina metió la mano en el agua, que
aún estaba caliente después de lanzar la piedra mágica.

—No te asustes, Celeste —dijo Cristina.
Con mucho cuidado acercó el dedo a la burbuja.

¡Paf!

Celeste se tambaleó al romperse la burbuja y cayó al agua. Luego nadó hasta la superficie y sacó la cabeza. Su pelo
dorado le caía mojado
por la espalda.

Cristina se inclinó y la sacó del agua. Pesaba como una pequeña hoja mojada. Luego la depositó con cuidado sobre una roca al sol.

—Aquí estarás bien, pequeña hada —le susurró.

Celeste se apoyó sobre un codo. Chorreaba agua por todos lados, y esta vez no eran destellos azules.

—Gracias por ayudarme —dijo con una voz muy débil.

Crist

—Alg hemos e ¿Qué ha

—No más, está

Era ciert descolorid fuera un ha

Cristina se

—Parece q sin color.

El cangrejo del agua y avar rocas hasta lleg

—¡Ay, pequeí hada!

Celeste estab ciéndose un ov

—Tengo tar bilmente.

A Cristina l

—¿Qué te se acercaron

Celeste asi

—Sí, y aho

—Tenem

—Pero ¿c

Las niñas que estaba ovillo.

A Raquel le entraron ganas de llorar.

La pobre Celeste parecía realmente enferma. ¿Qué ocurriría entonces?

El cangrejo tiene una idea

Raquel advirtió que algo se movía. Era el cangrejo azul que agitaba sus pinzas como un loco.

—¡Mira! —señaló Raquel.

—Creo que está intentando decirnos algo —dijo Cristina.

Las chicas se agacharon.

—No os preocupéis —dijo la vocecita estridente del cangrejo—. Mis amigos os ayudarán.

El cangrejo trepó hasta la roca más alta y chasqueó las pinzas.

«¿Qué va a hacer?», se preguntó Cristina.

Lo que vio a continuación la dejó atónita.

Cangrejos de todos los tamaños y colores salían de entre las rocas y se aproximaban arañando las piedras con sus diminutas patas.

Los ojos del cangrejo azul no dejaban de moverse en todas direcciones. Abría y cerraba las pinzas, señalando unas veces al cielo, y otras al suelo. Sus compañeros avanzaban a paso ligero en todas direcciones. Los ojillos se les movían cuando sus patas chocaban con las rocas entre las grietas.

Raquel y Cristina se miraron sin entender nada.

—¿Qué está pasando? —dijo Raquel.

En ese momento, Cristina vio un pequeño cangrejo rosado que tiraba con fuerza de algo.

Con un crujido aterrizó de espaldas sobre la roca. Llevaba en la pinza una suave pluma blanca de gaviota. El cangrejo se puso de nuevo boca abajo y empezó a avanzar balanceando la pluma en el aire. Uno detrás de otro, aparecieron los cangrejos con plumas de gaviota. A una señal del cangrejo azul, todos le siguieron hasta la roca en la que Celeste estaba acurrucada. Con sumo cuidado, colocaron las plumas alrededor del hada azul. Sus amigos cangrejos acarrearon todas las plumas necesarias para que Celeste tuviera un mullido y cálido colchón.

—¡Están intentando que Celeste entre en calor con plumas de gaviota! —exclamó Cristina.

Raquel se quedó boquiabierta. Había tantas plumas que apenas podía ver al hada. Se preguntó si funcionaría la idea del cangrejo.

En el nido de plumas se percibió un levísimo temblor. Una centella azul se desvaneció en el aire, dejando tras ella un perfume de arándanos. Luego una pálida estrella que se alzaba oscilante desapareció haciendo ¡paf!

—¡Polvo de hadas! —susurró Raquel.

—¡Vaya... pero no hay mucho! —advirtió Cristina.

Un nuevo temblor parecía provenir del interior del nido. Las plumas cayeron a un lado, y apareció el hada azul, con su vestido aún desteñido. El hada abrió sus grandes ojos azules y se sentó.

—¡Hola! Soy Celeste, el hada azul. ¿Quiénes sois vosotras? —dijo con voz adormecida.

—Yo soy Cristina.

—Y yo Raquel.

—Gracias por ahuyentar a los duendes —dijo Celeste—. Y gracias también a ti, pequeño cangrejo, por traer todas estas cálidas y suaves plumas.

Entonces intentó desplegar sus alas, pero estaban demasiado arrugadas.

—Mis pobres alas —dijo el hada con los ojos llenos de lágrimas.

—Las plumas han ayudado, pero Celeste aún no puede volar —dijo Cristina.

—Quizá las demás hadas Arco Iris puedan ayudarla —dijo Raquel.

Celeste las miró animada.

—¿Sabéis dónde están mis hermanas? —preguntó.

—¡Oh, sí! —respondió Cristina—. De momento, hemos encontrado a Rubí, Ámbar, Azafrán y Hiedra.

—Están a salvo en el puchero del final del Arco Iris —afirmó Raquel.

—¿Podéis llevarme hasta ellas, por favor? —dijo Celeste—. Estoy segura de que me irá bien.

Intentó ponerse de pie, pero sus piernas estaban demasiado débiles y tuvo que volver a sentarse.

—Espera, déjame que te lleve —se ofreció Raquel.

Juntó las manos para formar una especie de nido y depositó unas plumas para que el hada se acomodara.

Celeste se despidió del cangrejo azul y de sus amigos.

—Hasta pronto. Y gracias de nuevo por ayudarme.

—¡Adiós, adiós! —se despidió el cangrejo moviendo las pinzas en el aire.

También sus compañeros, con un brillo de satisfacción en sus ojillos saltones, saludaron a Celeste. Era la primera vez que rescataban a un hada del Arco Iris.

Cristina y Raquel se miraron pensativas mientras trepaban por las rocas. Celeste había sido muy valiente, pero los duendes se habían acercado a ella más que a ninguna de sus hermanas. Y ahora Celeste, ¡apenas parecía un hada azul!

De regreso al puchero

Raquel y Cristina se apresuraron en cruzar los prados y el bosque. Raquel llevaba a Celeste con sumo cuidado. El hada se había hecho un ovillo entre las cálidas plumas, con la mejilla apoyada en las manos.

—Aquí está el claro con el sauce —dijo Cristina.

Un ligero aroma a naranjas inundaba el aire y les hacía cosquillas en la nariz. Raquel miró a su alrededor y vio a un hada diminuta. Flotaba sobre unas margaritas, de las que recolectaba el néctar con la cáscara de una bellota.

—¡Mira! —dijo Raquel—. Es Ámbar, el hada naranja.

—¡Hola, nuevamente, Raquel y Cristina! —Ámbar fue revoloteando a posarse sobre el hombro de Raquel.

Entonces, vio a Celeste acurrucada en la mano de Raquel.

—¡Oh, no! Celeste, ¿qué te ha ocurrido? Tengo que ir a buscar a las demás —exclamó.

Tras un movimiento circular de su varita, una lluvia de polvos mágicos de color naranja estalló en el aire.

Las demás hadas Arco Iris aparecieron en el claro revoloteando en todas direcciones. El aire se llenó de polvos mágicos de color rojo, naranja, amarillo y verde. Burbujas y flores, diminutas mariposas y hojitas se esparcían por la hierba.

Raquel y Cristina observaban cómo las hadas hacían un corro alrededor de Celeste. El hada azul se incorporó lentamente y las miró con una leve sonrisa, y de nuevo se dejó caer en su nido de plumas.

—¡Pobre Celeste! —exclamó Hiedra, la dulce hada verde.

—¿Por qué está tan pálida? —preguntó Azafrán.

—Los duendes se han acercado mucho a ella —les explicó Raquel—. La charca estaba congelada, y Celeste había quedado atrapada en una burbuja bajo el hielo.

—¡Oh, cielos! Eso es terrible. —Azafrán se estremeció.

—Cristina les gritó y trató de atraparlos —susurró Celeste.

—Gracias. ¡Sois tan valientes! —dijo Rubí, el hada roja, y se echó a volar—. Tenemos que pensar en algo para ayudar a Celeste. ¡Ya sé! Vamos a pedirle consejo a Bertram.

Las hermanas hadas salieron disparadas hacia el sauce, batiendo veloces sus brillantes alas. Raquel y Cristina llevaban a Celeste recostada en el nido de plumas.

El puchero del final del Arco Iris estaba en el suelo, bajo las ramas que colgaban del sauce. Las hadas Arco Iris vivían allí temporalmente, hasta que encontraran a todas sus hermanas y pudieran regresar al Reino de las Hadas.

Tan pronto como dejó Raquel a Celeste junto al puchero, una rana verde se puso a su lado de un salto.

—¡Señorita Celeste! —se la oyó croar. Parecía muy contenta.

—Hola, Bertram —respondió Celeste con una débil sonrisa.

—Tenemos que hacer que Celeste entre en calor para que recupere su color —explicó Hiedra.

Bertram puso cara de preocupación.

—Jack Escarcha y sus duendes son tan malvados... —dijo—. Debéis permanecer cerca del puchero para que yo pueda protegeros.

—No te preocupes —dijo Azafrán a Celeste abrazándola—. Pronto te sentirás mejor.

Celeste asintió con la cabeza, pero no dijo nada. Sus ojos se iban cerrando poco a poco. Estaba tan pálida que sus extremidades parecían transparentes.

Raquel, Cristina y las hadas se miraron sin saber qué hacer.

—¡Ay, Bertram, ¿y si los duendes han herido gravemente a Celeste? —exclamó Hiedra—. ¿Qué podemos hacer para salvarla?

El corro de las hadas

Bertram estaba muy seria.

—Creo que ha llegado el momento de que intentéis hacer un encantamiento.

Ámbar frunció el ceño.

—No creo que funcione con solo cuatro de nosotras. ¡Se necesitan siete hadas Arco Iris!

—Bertram tiene razón, tenemos que intentarlo —dijo Rubí—. Quizá podamos hacer un pequeño encantamiento. Deprisa, formemos un corro de hadas.

Las hadas Arco Iris revolotearon en círculo alrededor de Celeste.

Raquel advirtió la llegada al claro de una criatura de cuerpecillo negro y amarillo, la abeja reina, y una pequeña ardilla gris.

—Reina y Pelusa se han acercado para ver el encantamiento —susurró Cristina a Raquel al oído.

Reina, la abeja, había ayudado a Azafrán a recuperar su varita cuando los duendes se la robaron. Pelusa, la ardilla, había cargado a Hiedra y a las chicas en su lomo hasta llegar al puchero, cuando huían de los duendes.

—¡Hermanas, preparadas! —dijo Rubí; alzó luego su varita y recitó—: «¡Volamos en un corro de hadas como este, para devolver su color azul a Celeste!».

Mientras, las demás hadas agitaban sus varitas. Polvo de hadas de cuatro colores diferentes se esparció por el aire: rojo, naranja, amarillo y verde. Una nube mágica multicolor envolvió a Celeste, que seguía reclinada en su nido de plumas sobre la suave hierba.

—¡Algo está ocurriendo! —dijo Cristina. A través de la nube mágica, pudo ver cómo el vestidito de Celeste y sus botas iban recuperando el color azul—. ¡El encantamiento ha funcionado! ¡Bravo!

El cielo se iluminó con el resplandor de mil estrellas azules que se elevaban en el aire hasta desvanecerse con un pequeño chasquido.

—¡Lo conseguimos! —gritó Ámbar mientras hacía una pirueta en el aire y Azafrán daba palmas entusiasmada.

—¡Bravo por el Arco Iris Mágico! —se rió Rubí.

Celeste bostezó y se sentó. Se sacudió las plumas y se miró el vestido. Su cara se iluminó de alegría al ver que este había recuperado el color azul.

—¡Mis alas ya están fuertes para volar! —dijo, y aleteó un par de veces antes de remontar el vuelo. Hizo un tirabuzón y sus alas resplandecieron como el arco iris—. ¡Gracias, hermanas!

Las hadas Arco Iris se reunieron alrededor de Celeste. Mientras la abrazaban y le daban besos, el aire se inundaba de burbujas de colores y polvos mágicos rojos, naranjas, amarillos, verdes y azules. ¡Casi era un auténtico arco iris!

Raquel y Cristina saltaban de alegría.

Hiedra descendió en picado hasta el nido y cogió al vuelo un manojo de plumas de gaviota.

—¡Ya no volverás a necesitar esto! —dijo riéndose mientras hacía cosquillas a Celeste con una pluma blanca y alargada.

—¡Me parece que ya sé lo que voy a hacer con ellas! —dijo Celeste. Voló hasta el puchero, se posó en el borde y echó un vistazo dentro—. ¡Qué mono es! —dijo admirada al ver las sillitas y las mesas hechas con palitos, y la concha gigante que hacía de cama.

Luego Celeste revoloteó hasta las plumas, y las recogió todas.

—Creo que con ellas podremos hacer un colchón blandito y cálido.

Sus hermanas la observaron encantadas.

—Gracias, Celeste. ¡Qué buena idea! —dijo Rubí.

—Vamos a preparar un festín de bienvenida para Celeste —dijo Hiedra—, con fresas silvestres y jugo de tréboles.

Ámbar dio una voltereta en el aire.

—¡Yupi! ¡Raquel y Cristina, estáis invitadas!

—Gracias, pero tenemos que irnos —dijo Raquel mirando su reloj—. Nuestras madres estarán esperándonos con la comida.

—¡Es verdad! —recordó de pronto Cristina.

¡Lástima de no poder quedarse para probar la comida de las hadas! Pero no quería que su madre se preocupara.

—¡Adiós, hasta pronto!

Las hadas se sentaron en el borde del puchero y se despidieron de las niñas. Reina,

Pelusa y la rana Bertram también les dijeron adiós.

—¡Adiós, amigas!

Celeste voló junto a Raquel y Cristina, mientras que avanzaban por el claro del bosque. Sus alas desprendían pequeños arco iris. Su vestido y sus botas reflejaban un azul intenso, y el aire olía a arándanos.

—Muchísimas gracias, Raquel y Cristina —dijo—. Habéis salvado a cinco hadas.

—Y también encontraremos a Tinta y a Violeta —dijo Cristina—. Prometido.

—Claro que sí —afirmó Raquel.

Mientras caminaban de regreso a la playa, Raquel miró a Cristina.

—¿Crees que podremos encontrarlas antes de que sea demasiado tarde? Solo nos quedan dos días de vacaciones. Y los duendes se acercan cada vez más. ¡Casi atrapan a Celeste!

Cristina apretó la mano de su amiga y sonrió.

—No te preocupes. ¡Nada nos impedirá cumplir la promesa que hemos hecho a las hadas Arco Iris!

Las Hadas

ARCO IRIS

Rubí, Ámbar, Azafrán,
Hiedra y Celeste ya están a salvo.
Pero ¿dónde está

Tinta, el hada añil?

Érase una vez...

—¡Que deje ya de llover! —suspiraba Raquel Walker—. ¡Y el sol vuelva a resplandecer!

Ella y su amiga Cristina Tate miraban por la ventana del altillo. Las gotas de lluvia chocaban contra el cristal y el cielo estaba cubierto de nubes de un color negro violáceo.

—¡Qué día tan horrible! —dijo Cristina—. Menos mal que aquí se está muy bien.

Echó un vistazo al pequeño altillo donde dormía Raquel. Todo el espacio lo ocupaban una cama de hierro con una colcha de cuadros, un cómodo sillón y una vieja estantería.

—Ya sabes cómo es el tiempo en Aguamágica —advirtió Raquel—. En cualquier momento puede salir el sol y hacer calor.

Las dos habían venido a la isla Aguamágica a pasar las vacaciones. La familia Walker se alojaba en la Cabaña de la Sirena, y los Tate estaban en la cabaña de al lado, llamada del Delfín.

Cristina frunció el entrecejo.

—Ya, pero ¿qué pasará con Tinta y Violeta? —preguntó—. Tenemos que encontrarlas hoy.

Raquel y Cristina compartían un secreto maravilloso. Estaban intentando encontrar a las hadas Arco Iris que habían sido secuestradas del Reino de las Hadas por el malvado Jack Escarcha.

Si las siete hadas no regresaban, el Reino de las Hadas seguiría siendo frío y gris. Por eso tenían que encontrarlas. Raquel pensó en Rubí, Ámbar, Azafrán, Hiedra y Celeste, que ya estaban a salvo en el puchero del final del Arco Iris. Solo faltaban Tinta, el hada añil, y Violeta, el hada morada. Pero ¿cómo podrían encontrarlas estando encerradas allí entre cuatro paredes?

—¿No te acuerdas de lo que nos dijo la reina de las hadas? —preguntó Cristina—. Dijo que la magia nos encontraría a nosotras. —De pronto, su rostro se ensombreció—. ¿Tendrá esta lluvia algo que ver con la magia de Jack Escarcha? Quizá trate de impedir que salgamos a buscar a Tinta.

—¡Cielos! —exclamó Raquel—. Esperemos que pronto pare de llover. ¿Qué podríamos hacer mientras esperamos?

Cristina se quedó pensativa. Luego se acercó a la estantería donde había una hilera de libros viejos y polvorientos, y cogió uno. Era tan grande que tuvo que sostenerlo con las dos manos.

Raquel leyó en voz alta el título de la cubierta: *El gran libro de los cuentos de hadas.*

—Si no podemos salir a rescatar hadas, ¡al menos podremos leer sobre ellas! —dijo Cristina resignada.

Las dos amigas se sentaron sobre la cama con el libro abierto en su regazo.

Cristina estaba a punto de pasar la primera página cuando Raquel exclamó:

—¡Cristina, mira la cubierta! Es de color azul. Un azul violeta.

—Ese color es añil —susurró Cristina—. Escucha, Raquel, ¿crees que Tinta podría estar atrapada dentro del libro?

—Vamos a ver —dijo Raquel—. ¡Deprisa, abre el libro!

Pero Cristina había percibido algo muy extraño.

—Raquel —dijo casi temblando—. ¡Está brillando!

Raquel miró el libro. Cristina tenía razón. Algunas páginas del interior del libro desprendían una tenue luz de color azul violáceo.

Cristina abrió el libro. La tinta de las páginas era de color añil fluorescente. Por un momento, Cristina creyó que Tinta podría salir volando del interior del libro, pero no había ni rastro del hada. En la página solo había un dibujo de un soldado de madera y un título: «El cascanueces».

—¡Vaya! —dijo Raquel—. Yo sé la historia. Fui a ver el ballet en Navidad.

—¿De qué trata? —preguntó Cristina.

—Bien, a una chica llamada Clara le regalan por Navidad un soldadito de madera que sirve para romper nueces —explicó Raquel—. El soldadito cobra vida y lleva a Clara al Reino de las Golosinas.

Tinta ☆ ☆ ☆ ☆ ☆ ☆ ☆

Las dos amigas observaban un dibujo del libro en el que había un hermoso árbol de Navidad lleno de bolas brillantes. Una niña dormía al pie del árbol, sosteniendo en su mano un soldadito de madera.

En la página siguiente había un dibujo de un bosque umbrío sobre el que caían copos de nieve formando remolinos.

—¿No te parece que los dibujos son geniales? —dijo Cristina—. La nieve parece de verdad.

Raquel se estremeció. Por un momento, le pareció que la nieve se movía. Lentamente posó la mano sobre la página. Al tocarla, la notó fría y húmeda.

—Cristina —susurró—. ¡Es de verdad!

Raquel levantó la mano. En los dedos tenía copos de nieve.

Cristina bajó la mirada al libro, con los ojos muy abiertos. Un remolino de nieve se alzó desde las páginas del libro y giró por la habitación, primero despacio, y luego cada vez más deprisa.

Lee la continuación de

Las Hadas

ARCO IRIS

Tinta, el hada añil
y descubre hasta dónde las arrastrará
la magia del torbellino de nieve.

Las Hadas
ARCO IRIS

por Daisy Meadows

Rubí, el hada roja
Está sola en la isla Aguamágica... hasta que Raquel y
Cristina prometen rescatar a sus hermanas Arco Iris.

Ámbar, el hada naranja
Está atrapada en un lugar insólito. ¿Podrá una pluma
de ave ayudar a rescatarla?

Azafrán, el hada amarilla
Se encuentra en una trampa pegajosa. ¿Cómo podrán
liberarla Raquel y Cristina?

Hiedra, el hada verde
Está hundida en un hoyo lleno de hojas. Hay que
resolver un misterio para salvarla.

Celeste, el hada azul
Tiene problemas con burbujas. ¿Les podrá echar una
pinza el cangrejo Arco Iris?

Tinta, el hada añil
Como siempre, está haciendo travesuras. Raquel y
Cristina deberán devolverla al puchero... antes de que
sea demasiado tarde.

Violeta, el hada morada
No deja de dar vueltas. Hasta que el caballito del
tiovivo corre a rescatarla.